LE TRANSSIBERIEN

Collection
« Leçons de choses »

Titres parus
Les bergers du voyage
La vie au rucher
La haute montagne
La vigne et ses métiers
Les loups
La forêt
Le carnaval
Le vent
La ferme
Le cheval
Les hirondelles
Le pommier
Les Tsiganes
Le bateau de Jacques Cartier
Les gens du cirque
Les baleines

© Berger-Levrault, novembre 1984
35, avenue de la Motte-Picquet, 75007 Paris
ISBN 2-7013--0593-4
Direction éditoriale : Jean-Jacques Brisebarre
Direction collection : Michèle Cohen
Fabrication : Louise Champion
Maquette couverture : Monique Kontowicz ; intérieur : Agnès Penny
Photogravure : Ernio
Impression : Berger-Levrault, Nancy

LE TRANSSIBERIEN

TEXTE ET ILLUSTRATIONS DE JAMES PRUNIER

BERGER-LEVRAULT

Moscou : la ville aux mille clochers et aux sept gares ! Chaque matin à dix heures le « Rossia » part de la gare de Iaroslav pour Vladivostok. Ce grand train vert et rouge parcourt quelque 10 000 km et relie les deux extrémités du pays en huit jours et sept nuits, traversant dix fuseaux horaires.

J721445

Pierre a vingt ans, étudiant en histoire à l'université de Moscou, il s'était toujours promis de s'offrir un jour ce grand voyage. Et maintenant, il a en main deux petits rectangles de papier qui lui donnent droit au plus fabuleux voyage : la traversée de toute la Russie en train. Jamais il n'avait été si loin.

« J'en apprendrai bien plus par moi-même sur la construction et la vie de ce train, que par tous les livres que j'ai lus » pense-t-il. Mais pour être sûr de ne rien oublier il a décidé d'écrire un carnet de voyage qui commence ainsi :

« Le tsar Nicolas II parlait de cette ligne comme de « la plus fabuleuse des voies ferrées » et voyait en elle une « œuvre de civilisation et de paix ». Le train es

là. Immobile. Aligné contre le quai, il va partir dans quelques minutes. Chaque wagon est frappé sur le flanc d'une plaque « Moscou-Vladivostok » en caractères cyrilliques.

Il fait déjà froid. Les gens se bousculent pour monter. Chacun rejoint sa place dans les différents compartiments à une, deux, ou quatre places. Je parle de places, mais en réalité, ce sont des couchettes, ce qui est préférable étant donné la longueur du voyage. Ces compartiments sont de première ou de deuxième classe. Il y a, en bout de convoi, un ou plusieurs wagons avec un couloir central, et de part et d'autre,

des couchettes alignées et seulement séparées par une cloison. C'est la troisième classe.

Je trouve très vite ma place dans un compartiment à deux couchettes. En face de moi, déjà installé, un homme d'une trentaine d'années est plongé dans une revue scientifique. Une première secousse, et je me retrouve assis sur ma couchette. Je souris et mon voisin m'aperçoit. Nous rions. « Si le train avance par bonds jusqu'à Vladivostok, me dit-il, le voyage sera des plus comiques ! » Encore quelques secousses moins violentes, et le train de légende, pourtant hésitant au départ, prend pour de bon son départ, avec devant lui 9 300 km à parcourir.

La conversation s'engage ; posées entre nous sur une table recouverte d'une nappe brodée, les traditionnelles tasses de thé et les biscuits. En bout de table, la fenêtre avec son double vitrage et deux petits rideaux blancs. Nous montons vers le nord, vers Iaroslav, puis nous bifurquons vers l'est dans la direction de Perm, pour franchir l'Oural. Demain, nous serons à Sverdlovsk, là où commence la Sibérie...

« Connais-tu la Sibérie ? » me demande Igor, mon voisin. Ingénieur, il a fait ses études à Moscou et retourne chez lui, travailler sur la nouvelle ligne du transsibérien, le « B.A.M. ». Igor est Sibérien. « La Sibérie, me dit-il, c'est 14 millions de km².

A l'origine, c'était un pays mystérieux et inconnu. Le climat continental soumis aux influences polaires a fait que la Sibérie était et reste encore une terre isolée ; isolée par le froid, les bois, les steppes, les déserts et les marais plus que par l'Oural qui la sépare de la douce Russie d'Europe. Constamment gelée durant un hiver très long, balayée par un vent glacial qu'aucune montagne n'arrête, et soumise à des températures de − 40° à − 70°, la Sibérie se réveille au printemps. Le dégel la transforme d'abord en une immense mare de boue. Irriguée par ses rivières, elle se métamorphose peu à peu en un océan de fleurs. L'été arrive, très court, chaud le jour (+ 35° à l'ombre), froid la nuit (− 10°), et voilà que fondent sur cette terre des milliards de moustiques. Puis, le froid engourdit de nouveau la nature qui replonge dans l'éternel hiver.

Le monde végétal se compose de la *toundra* où vivent d'immenses troupeaux de rennes et autres cervidés qui effectuent des déplacements saisonniers vers la forêt pour se protéger du vent et du froid de l'hiver, la *taïga*, domaine des animaux à fourrure (ours, renards, hermines, zibelines, écureuils, loups, tigres, etc.) et la *steppe*, vastes plaines de pâturages et de terres extrêmement fertiles.

Les quelques Sibériens d'autrefois ne dépassaient pas le million d'individus. Ils vivaient en groupes isolés, soumis aux rigueurs d'une nature qu'ils ne contrôlaient pas. Ils étaient pêcheurs, chasseurs, trappeurs ou éleveurs, mais trop peu nombreux, rarement cultivateurs.

Paysan.

Bûcheron.

Éleveur nomade des steppes.

l'Oural.

Trappeur de

Pêcheur de l'Amour.

Cosaques.

De l'Oural à l'île Sakhaline, autant de races et de religions différentes formaient un puzzle *ethnique* aux frontières mal délimitées. Une question me vient à l'esprit :

« Mais comment sont venus les Russes ? »

— Vers 1580, reprend l'ingénieur, la Russie européenne entreprend de coloniser la Sibérie. Le cosaque Ermack Timofeïevic et ses huit cent cinquante partisans passent l'Oural, autorisés par le tsar Ivan IV a attaquer le puissant Kahn Kucium, gouverneur de Sibérie : il avait osé guerroyer contre les Russes qui voulaient faire du commerce dans ses territoires. Les cosaques, instruments armés de la colonisation russe en Sibérie, mettent le Khan en échec, et très vite se rendent compte qu'en plus de ses précieuses fourrures, la Sibérie possède dans son sous-sol des trésors immenses et inépuisables : fer, cuivre, étain, plomb, or, pierres précieuses, charbon...

La longue colonisation ne s'arrêtera qu'en 1860,

avec la possession des provinces maritimes du Sud : il fallait renforcer l'influence russe face à la Chine et au Japon, et trouver de nouveaux débouchés à l'industrie, alors en plein développement. Mais, cette colonisation, la Russie la doit aussi à ses paysans qui vinrent peupler l'inconnu avec l'espoir d'y créer la vie.

— Par quel chemin sont-ils arrivés jusqu'au fond de la Sibérie ?

— Par le plus naturel : tout simplement en longeant l'orée sud de la Taïga, le chemin qu'empruntèrent les grands envahisseurs, et plus tard les courriers du tsar. C'est l'unique piste orientale, la longue voie du « tract »... L'été, on y voyage à cheval, en *tarentas* ou en bateau ; l'hiver, en traîneau, ce qui est plus facile car tout est gelé. Le voyage d'un bout à l'autre du pays, en fonction du thermomètre et des mille imprévus, pouvait prendre jusqu'à deux ans ! C'est encore cette même route qu'empruntera, quelques années plus tard, le grand Transsibérien.

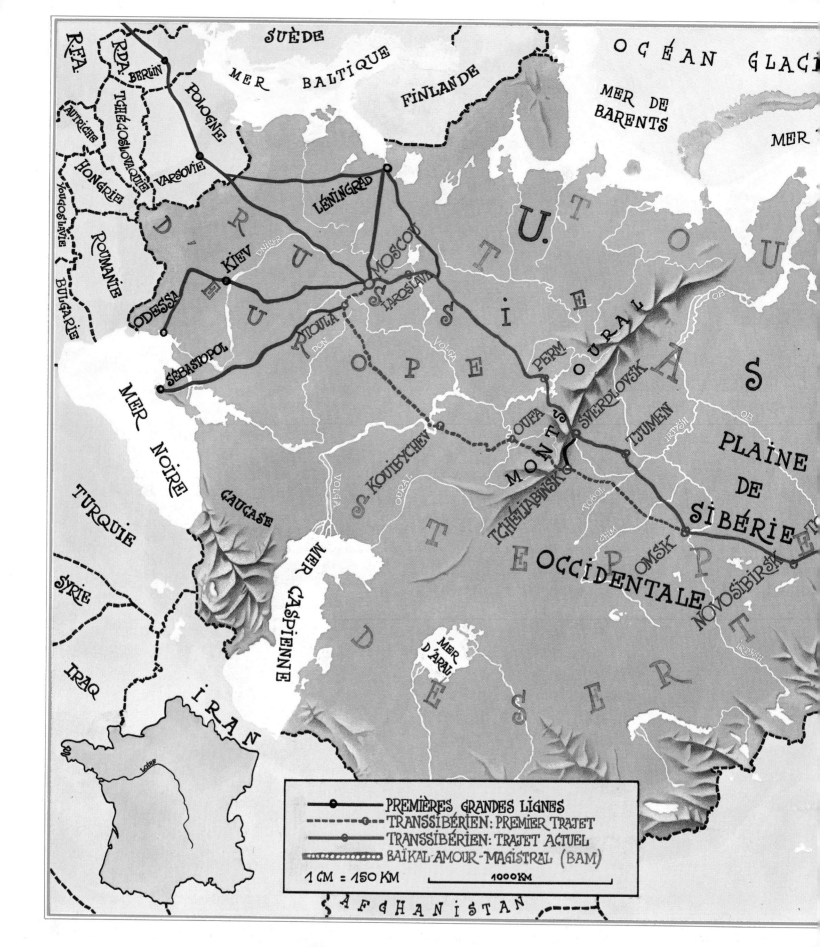

SUÈDE

MER BALTIQUE

FINLANDE

OCÉAN GLACI

MER DE
BARENTS

MER

RFA.

RDA.

BERLIN

TCHÉCOSLOVAQUIE

AUTRICHE

HONGRIE

YOUGOSLAVIE

ROUMANIE

BULGARIE

POLOGNE

VARSOVIE

LÉNINGRAD

MOSCOU

IAROSLAVL

TOULA

DNIEPR

DON

VOLGA

PERM

OURAL

MONTS OURAL

OB

SVERDLOVSK

TJUMEN

IRTYSH

OB

PLAINE
DE
SIBÉRIE

KIEV

ODESSA

SÉBASTOPOL

D'EUROPE

RUSSIE

U.

R.S.S.

KOUÏBYCHEV

OUFA

TCHÉLIABINSK

TOBOL

IGHIM

IRTYSH

OMSK

NOVOSIBIRSK

OCCIDENTALE

MER NOIRE

TURQUIE

CAUCASE

MER
CASPIENNE

MER
D'ARAL

PLATEAU

DÉSERT

SYRIE

IRAQ

IRAN

VOLGA

AFGHANISTAN

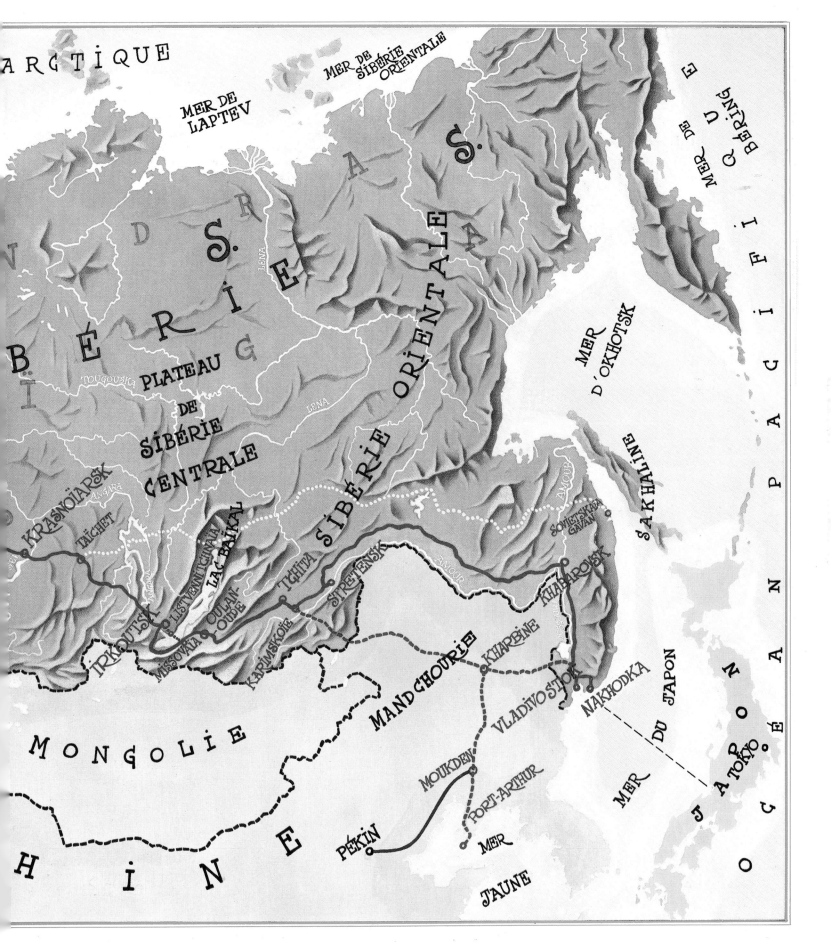

C'est le tsar Nicolas I, au milieu du XIXe siècle, qui s'intéressa le premier au chemin de fer. Mais relier Saint-Pétersbourg à Moscou suffisait à son ambition. Son successeur, Alexandre II, comprit vite que le train serait un instrument efficace pour unifier son pays. C'est sous son règne que furent réalisées les premières jonctions entre les grandes villes de l'ouest de l'empire. Le quadrillage de la Russie par voies ferrées s'arrêtait aux portes de l'Oural.

Son successeur, le tsar Alexandre III, prit conscience de l'importance du développement de la Sibérie et de sa mise en valeur. A cette époque, le nombre des paysans de la Russie d'Europe s'accroissait en s'appauvrissant. La Sibérie, elle, offrait de nouvelles terres à mettre en valeur et des trésors immenses. Il fallait mettre en place de meilleures communications, augmenter l'importance commerciale et politique de la Russie face à la Chine et au Japon, sans oublier l'aspect ouvertement militaire (« alimenter » la flotte russe du Pacifique basée à Port-Arthur) ; autant de besoins qui firent naître l'idée d'un chemin de fer, reliant la Russie d'Europe au Pacifique. Plusieurs projets avaient été établis depuis 1850. Mais, le 17 mars 1891 le trajet partant de Tchéliabinsk et reliant Omsk, Novosibirsk, Tomsk, Krasnoïarsk, Irkoutsk, Tchita, Stretensk, Khabarovsk à Vladivostok fut adopté officiellement. Près de 7 500 km en terrain inconnu... La construction commencerait aux deux extrémités, et la jonction serait faite aux alentours du lac Baïkal. Mais, pour financer un tel projet, il fallait beaucoup d'argent, et les finances russes étaient dans un état lamentable !

Le ministre des Transports et des Communications, Sergeï Witte, eut l'idée de lancer des emprunts à l'étranger et principalement en France ; c'est elle qui, en partie, a financé le Transsibérien !

Un relais du "tract".

Deuxième jour de voyage.

Le « Rossia » s'arrête dans une petite gare de l'Oural. Je regarde à travers la fenêtre du compartiment. L'extérieur est flou... Ce doit être le double vitrage... Non, c'est bel et bien du brouillard, je m'en rends compte en sortant me dégourdir les jambes. Il n'y a pas de quai. Il n'y a pas grand monde non plus. La neige est abondante, et la petite gare semble perdue sous cette masse blanche. Elle paraît dater de cette époque héroïque où elle était encore l'unique construction du futur village. Pour me réchauffer, je fais encore quelques pas quand la cloche du départ retentit...

— Monte vite petit bonhomme !

— Petit bonhomme ?

Je me retourne et admire un grand gaillard bâti comme un chêne. Dans son visage fripé les yeux sont si limpides qu'ils paraissent sans fond. Il est là, raide comme un piquet avec un gros baluchon sur l'épaule. Il m'invite à monter en premier. Aussitôt, la porte est refermée sur nous par l'employée des chemins de fer qui est en quelque sorte la « cheftaine » du wagon. Car chaque wagon a ses deux « mamans couveuses » qui veillent d'une façon admirable sur les voyageurs, distribuant des jeux, du thé, entretenant le poêle à charbon... Il fait bon retrouver les 28° du compartiment. A nouveau le train roule...

— Tu vois, Pierre, me dit le vieux paysan qui connaît déjà mon nom, dès que la cloche sonne, il faut remonter, le train ne s'arrête que quelques minutes.

Une gare dans l'Oural.

— Je me souviens, raconte le paysan d'un air réjoui et plissant son visage d'un large sourire, il y a très longtemps, au tout début du Transsibérien, il arrivait fréquemment que nous restions coincés plusieurs jours dans ces petites gares de bois, isolées dans l'Oural. Le train avait pris du retard quelque part, dans une des stations loin là-bas dans les monts, où il était resté bloqué par la neige ou la tempête... Alors on se faisait des amis, on buvait du thé. Beaucoup de thé brûlant. Dans chaque station, il y avait de l'eau chaude à volonté dans le *samovar*. On buvait aussi beaucoup de *vodka*, ajoute-t-il en riant. Le Transsibérien portait ce nom proprement dit, à partir des monts Oural. Ce sont les Anglais qui l'ont baptisé « Trans-Sibérien-Express » dès que les Russes ont annoncé sa mise en service, à partir de 1900. Les Britanniques et les hommes d'affaires européens étaient ravis : ils pouvaient désormais rejoindre l'Extrême-Orient en une quinzaine de jours seulement. Mais on peut dire que là où le Transsibérien commençait, commençait aussi l'aventure. C'était une époque héroïque ! On s'enfonçait dans 7 500 km d'inconnu, de froid et de mystère. Chaque gare possédait une horloge à trois aiguilles : une pour les minutes, deux pour les heures ; l'une indiquant l'heure locale, et l'autre celle de Moscou, avec une différence qui pouvait atteindre plusieurs heures, selon l'éloignement. Sur le trajet il y avait 569 gares, dont 248 arrêts qui duraient de 3 mm à 1 heure selon les besoins du train. La cloche du départ avisait les voyageurs en sonnant un premier coup, puis deux coups pour annoncer le départ imminent, enfin trois coups quand le convoi partait. Il arrivait qu'elle ne sonne pas ; et par prudence, les voyageurs restaient près du train même pendant les longs arrêts. Aujourd'hui, le Transsibérien traverse quelque 600 gares, mais ne s'arrête que dans 92 d'entre elles. Et vois-tu Pierre, si dans chaque wagon le samovar est moderne, en

Main d'œuvre.

revanche dans chaque gare, l'horloge typique est toujours là. Rien n'a changé ! On va boire du thé ?

Je demande au vieil homme, reprenant mon souffle après une gorgée de thé brûlant : « Qui a construit le Transsibérien ? » Ce paysan de l'Oural semble tout savoir... Peut-être est-il le fils d'un pionnier du rail, ou de l'un de ces paysans partis un jour coloniser la Sibérie ?

— « Le 17 mars 1891, le tsar Alexandre III donne l'ordre d'exécuter les travaux du Transsibérien. Son fils et futur successeur, Nicolas Alexandrovitch, se fait son ambassadeur et pose la première traverse le 17 mai suivant, à Vladivostok, à l'autre bout du pays. La construction durera jusqu'en 1906. Pour que tu comprennes mieux, on peut la décomposer en quatre grands tronçons : la partie européenne, de Moscou à Tchéliabinsk ; le Sibérien occidental : de Tchéliabinsk à l'Ob ; le Sibérien central : de l'Ob jusqu'à

Irkoutsk ; le Sibérien oriental : d'Irkoutsk à Vladivostok composé lui-même de cinq parties : le Circabaïkalien qui contourne le lac Baïkal ; le Transbaïkalien jusqu'à Stretensk ; l'Amourien de Stretensk à Khabarovsk ; l'Oussourien de Khabarovsk à Vladivostok ; le Transmandchourien.

Les Russes voulaient un chemin de fer qui passe en totalité sur leur territoire. En 1896, pour des raisons politiques et militaires, la construction de l'Amourien est abandonnée au profit d'une nouvelle ligne qui traversera la Mandchourie, et qui sera appelée « Chemin de Fer Transmandchourien » (ou « Chemin de Fer Oriental Chinois » ou « Sud Mandchourien »). Cette ligne, bien qu'en pays étranger, allait permettre de beaucoup raccourcir le trajet, et de relier directement Vladivostok à Port-Arthur. Le tronçon de l'Amourien serait, en attendant sa construction, desservi par voies fluviales. »

Forçats au travail.

— Mais comment fut-il construit et par qui ?

— Ce fut très difficile ! Près de 70 000 ouvriers [f]urent à la tâche durant des années et ceci simultané[m]ent sur les différents tronçons ! Ils ont posé 15 mil[l]ions de traverses sur une distance d'environ [7] 000 km ! Tu imagines cela ? C'étaient des Russes [b]ien sûr, mais aussi des Chinois, des Coréens, des [J]aponais, des Tartares et des Européens.

L'année 1868 marque la fin de l'époque du servage [e]t de l'esclavage et la main-d'œuvre devient rare. Eh [b]ien, bannis et forçats feront l'affaire ! C'est ainsi que [d]es milliers de prisonniers et d'exilés allèrent travail[l]er dans des marais infectés par le *paludisme* l'été, et [l]'hiver par un froid terrible qui descend ordinaire[m]ent jusqu'à − 40°. Ces effroyables conditions cli[m]atiques provoquent chez les ouvriers un taux de [m]ortalité qui atteindra de très grandes proportions. [M]ais, malgré la main-d'œuvre non qualifiée, les tra-

vaux avancent rapidement. L'unique voie, à écarte-ment de 1,52 m, est posée à une cadence d'environ 600 km par an. (Or, un mètre de rail pèse 24,19 kg.) On déboise, on déblaie. On pose le *ballast* sur lequel sont couchées les traverses faites sur place avec le bois de la Taïga. Et quand il n'y a pas de ballast, quand le bois est inutilisable ou encore quand il n'y en a pas du tout, les rails sont posés à même la steppe. A ces endroits-là, le train ne peut dépasser la moyenne de 25 km/h sans risquer de quitter la voie...

Combien d'accidents et de déraillements eurent pour origine cette construction hâtive ? Mais il faut dire aussi que le dégel de chaque printemps avait sa part de responsabilité. La nécessité était la plus forte ; on reconstruisait aussitôt et le train passait sur les talons des ouvriers : une véritable ville sur rail avec des logements, un réfectoire, un wagon épicerie et même une poste !

La cérémonie religieuse pour l'inauguration d'un pont.

Je ne t'ai pas encore parlé des ponts ! Leur construction mise bout à bout représente une longueur de 48 km. Il a fallu faire quelque 3 500 ouvrages d'art (tunnels et ponts) tout au long de la ligne. Mais, comment enjamber ces cours d'eau qui sillonnent la plaine, et des fleuves aussi importants que l'Ob ou l'Ienisseï ? La nature résolut le problème. Alors que le niveau d'eau était au plus bas, à *l'étiage* d'été, on construisait les piliers. Puis dès que le niveau du fleuve atteignait son point le plus haut et qu'il était pris par les froids de l'hiver, il suffisait d'assembler les pièces du tablier métallique du pont à même la glace. Il était alors testé par des convois de plusieurs machines. Mais, une construction comme celle-ci ne commençait pas sans la célébration d'une cérémonie religieuse. Elle se passait traditionnellement sous un *dais*, autour duquel la population se rassemblait...

Le grand paysan a quitté le Transsibérien le soir du deuxième jour de voyage. Le train roule maintenant dans la grande plaine de Sibérie, aux alentours d'Omsk. Il fait nuit. Je suis à la fenêtre. La lumière froide de la lune scintille sur les cristaux de neige tel un diamant infini, image de la richesse de ce pays glacé. Combien d'hommes sont morts, pour que je voyage si paisiblement ? Mes yeux sont attirés tout à coup par une lumière pâle et bleutée : nous traversons le fleuve Irtish.

Un convoi teste un pont.

Troisième jour

Aux environs de Novisibirsk, grande ville dépassée il y a quelques heures. Pour le dîner, je décide d'aller au wagon-restaurant. Situé au milieu du convoi, il est l'élément vital du train. Mais y arriver n'est pas chose facile ! A l'intérieur du soufflet qui relie chaque wagon les marchepieds sont recouverts d'une couche de glace, et les poignées des portes décollent la peau des mains dès qu'elles entrent en contact avec le métal gelé. En faisant attention, je franchis quelques voitures et parviens au wagon-restaurant. Les places sont presque toutes occupées. Je demande la permission de m'asseoir en face d'un jeune couple. La serveuse m'apporte une carte. Au menu : le *Bortsch* traditionnel, du hareng fumé, jambon, viandes et poissons ; le tout pouvant être arrosé de vodka et de bière. Mes nouveaux amis m'expliquent que le train s'approvisionne sur place. En effet, au fur et à mesure qu'il s'enfonce en Sibérie, la nourriture change ; passé Irkoutsk, par exemple, le ragoût de renne et autres mets étranges font leur apparition.

Dans chaque gare, des paysans attendent le long des quais avec des denrées alimentaires : choux, pommes de terre chaudes, saucisson, œufs, betteraves et pain noir qu'ils vendent aux voyageurs insatisfaits de l'ordinaire du wagon-restaurant. Ce sont là de véritables marchés improvisés où tout le monde s'empresse. Avec l'argent gagné, les paysans se ruent à leur tour vers le wagon-restaurant pour acheter des articles et produits de Russie d'Europe : biscuits, cigarettes, chewing-gum, qui ici sont inexistants.

— « Irkoutsk... me déclare le jeune homme, à peine plus âgé que moi, c'est là que nous allons Natalia et moi. Nous venons de nous marier et nous partons nous établir plus à l'est, comme beaucoup de gens l'ont fait il y a 80 ans. En fait, la Sibérie fut plus

« russifiée » par 20 ans d'exploitation du chemin de fer, que par trois siècles d'ouverture aux convois du *tract* !

Le Russe a le caractère un peu nomade. Il se décide vite à partir... Ainsi, lorsque le tsar distribua gratuitement des terres le long de la voie ferrée, les paysans, à l'étroit dans les villages de Russie, furent émerveillés par l'étendue des terres offertes, et se ruèrent confiants dans l'avenir.

Des villes de bois...

Ces gens courageux vont faire de la Sibérie le grenier de l'empire. L'état prenait leur voyage en charge. Ce fut un exode fantastique, comparable à celui de la conquête de l'Ouest en Amérique. Et comme là-bas, le train a joué un grand rôle. Au début, l'émigration sauvage était incroyable : les trains étaient pris d'assaut par des milliers de payans qui voyagaient même sur les toits. Certains emmenaient dans un petit sac une poignée de terre de leur

gelé sur plusieurs dizaines de mètres de profondeur et la chaleur du foyer le fait fondre. La maison a tendance à s'enfoncer. Le bois, plus souple que n'importe quel autre matériau, permet à l'habitation de s'adapter à ces mouvements d'affaissement. Les maisons, témoins, au même titre que les hommes, de ce dur climat, craquent, se disloquent, mais résistent. Si certaines villes sont devenues d'importants centres de commerce, d'autres ne sont plus que des villes-

La station.

Une isba.

village natal. Tout le long de la voie, naissaient de coquettes stations construites en dur ; autour surgissaient des campements de *yourtes*. On pouvait voir, attaché à un poteau télégraphique, le dessin d'une église ou d'une autre bâtisse que les émigrants projetaient de construire. Poussant comme des champignons, des villes sont nées petites et grandes, tout en bois. En Sibérie le bois présente un avantage capital pour la construction. En effet, le sol est constamment

fantômes où les loups et le vent glacé hurlent dans les larges rues vides. Si bon nombre d'émigrants ont trouvé leur bonheur, beaucoup se sont arrêtés en route, terrassés par les maladies, la fatigue et l'épuisement.

Combien de femmes, de vieillards ou d'enfants sont morts de la *diphtérie* ou autre maladie, combien d'autres, pleins d'espoir au départ, sont revenus sans rien au village natal où il n'y a plus place pour eux.

Le repas s'achève. Comme si elle les avait gardées pour le dessert, Natalia sort des photos :

— « Voici l'âge d'or du Transsibérien dit-elle, puis elle ajoute : c'était au temps où la locomotive traînait dans un tourbillon de neige sa colonne de wagons en bois, troués de fenêtres, petites, pour conserver la chaleur. Chaque wagon avait son poêle. Malgré les bûches, la chaleur ne dépassait pas les 14°. Le foyer de la locomotive réclamait aussi du bois, beaucoup de bois. Sur certains points du tronçon, il existait même

La plupart des machines, comme le matériel, étaient de fabrication étrangère, importées en pièces détachées et montées sur place. La locomotive type du Transsibérien était munie en plus de son tender rehaussé, d'une cheminée pare-*escarbille* (pour éviter de mettre le feu à la steppe !) et d'une protection le long de la plate-forme qui entoure la locomotive. En hiver, on y ajoutait un chasse-neige et elle ressemblait alors à sa cousine américaine avec son *chasse-pierre*. La voie ferrée, quant à elle, était unique : les trains ne

La corvée de bois.

des arrêts « corvée de bois ». Une fois débité, il était empilé sur le *tender* de la locomotive, rehaussé afin d'en mettre le plus possible, les distances étant très longues. Plus tard, quand les locomotives purent marcher indifféremment au bois ou au charbon, il n'était pas rare de voir le conducteur stopper le train et descendre avec sa pelle ramasser le charbon d'une mine à ciel ouvert.

pouvaient se croiser que dans les gares où elle était doublée. Il y avait à cette époque quatre classes de wagons, allant du grand luxe à la banquette de bois. Mais la circulation des trains de luxe fut très éphémère car la guerre avec le Japon éclata en 1904.

C'était pourtant avec eux que le Transsibérien avait acquis toute sa gloire.

Paris 1900. A l'Exposition universelle, le tsar découvre le futur matériel du Transsibérien. En 1898, la *C.I.W.L.* avait obtenu du gouvernement russe de faire circuler un train de haut standing sur la ligne. Ce train constitué de matériel français porterait le nom d'« Express International ». Les Russes, de leur côté, mettraient en service les « Express d'État ».

Ce n'est qu'à partir de 1914, que les deux extrêmes du pays, Moscou et Vladivostok, seront reliés sans changement. Afin d'éviter que ce voyage (qui durait alors 18 jours) ne soit trop monotone, tout le confort possible est mis à la disposition des voyageurs : compartiment cloisonné d'acajou et habillé de draperies fines, voiture-salon, tapissée de soie rose et garnie de tentures bleues, avec son piano ; salon de coiffure, gymnase, salles de bains, fumoir, atelier de photographie, bibliothèque de plus de cent ouvrages en quatre langues, infirmerie, télégraphe permettant de prendre des nouvelles du monde entier ; et bien sûr, un wagon-restaurant où le personnel habillé en Tartars invitait les voyageurs à goûter de savoureuses spécialités. Le service était d'une rare qualité. Les *conducteurs* ne parlaient pas moins de cinq langues : russe, chinois, français, anglais, allemand.

Le dimanche, une voiture-chapelle était ajoutée afin de célébrer les offices religieux orthodoxes car le tsar estimait que le confort moral devait faire partie du voyage au même titre que le confort physique. Ce wagon servait également de lieu de culte aux communauté dispersées le long de la ligne.

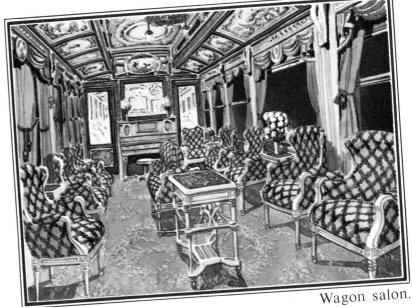

Wagon salon.

Wagon chapelle.

Wagon restaurant.

Aujourd'hui, le voyage en est à son cinquième jour.

Tandis que je dormais, le train s'est arrêté à Irkoutsk, moitié du trajet en Sibérie. Le convoi longe

maintenant le lac Baïkal. Je regarde par la fenêtre du couloir. Les pentes sont raides et on sent que la locomotive a du mal à tirer les wagons. Ici, tout est plus blanc qu'ailleurs. Je devine l'immensité gelée du grand lac qui tranche avec les hauteurs environnan-

tes. C'est une véritable mer qui s'enfonce dans les roches à perte de vue. On dirait que le vent glacé s'est appliqué à happer les crêtes des vagues au moment où elles étaient au plus haut, pour les saisir et les laisser là tout l'hiver.

— « Psst, hé ! Psst. » Je me retourne. Une porte de compartiment est ouverte. Un homme barbu, à l'air bizarre, est assis. Il m'invite à prendre place en face de lui. Je m'assieds. Entre nous deux, un jeu d'échecs. Les pièces sont prêtes. « Voilà le passe-temps favori des voyageurs ! Nous aimons tuer le temps dans d'interminables parties, dit-il en faisant de grands gestes avec les bras. Je les ai tous battus, mais toi, je ne te connais pas. » Il a l'air aussi fou que le fou de son jeu ; je préfère faire dévier la conversation sur un autre sujet :

— « Connais-tu bien le lac Baïkal ? » Il s'y laisse prendre, et je crois que si je ne l'arrête pas, il me dira tout sur le plus secret des chasseurs de la taïga.

— Le lac Baïkal, c'est la perle de la Sibérie ; posée au milieu des montagnes, cette coupe d'émeraude est longue de 600 km, large de 40 à 80 km, et profonde de 1 620 m. Quelques vieux Sibériens prétendent même que l'on ne peut pas en atteindre le fond... A lui seul le lac Baïkal contient 1/5e de toute l'eau potable du monde ! Dans les années 1900, lorsqu'ils arrivaient à Irkoutsk, les voyageurs devaient quitter la ligne du Transsibérien central pour rejoindre le Transsibérien oriental de l'autre côté du lac. Pour cela, ils parcouraient les 100 km qui les séparaient de Listvennitchnaïa en trains ordinaires qui montaient ensuite sur le brise-glace transbordeur du lac, le « Baïkal », puis débarquaient de l'autre côté à Missovaïa, raccordement ferroviaire avec le Transsibérien.

Ah ! il était reconnaissable de loin le « Baïkal » avec ses quatre hautes cheminées crachant la fumée de ses

Une troïka sur le lac.

vingt-cinq grandes chaudières à vapeur. Pour accomplir les 60 km de la traversée, en temps ordinaire, il fallait trois heures et demie. Il faut dire que le « Baïkal » portait 27 wagons sur trois voies parallèles. C'était déjà un énorme progrès car avant, à partir de 1844, il n'y avait que des petits vapeurs qui étaient

définitivement bloqués dès les premières glaces. Le « Baïkal », lui, ne capitulait que devant la glace de novembre, épaisse de 3 mètres et impossible à briser. Il fallait alors transborder les voyageurs en traîneaux tirés par des attelages de chiens ou de chevaux sur 40 km. Un relais était même installé au milieu du lac ! En 1904, lorsqu'éclate la guerre entre le Japon et la Russie, la voie unique du Transsibérien devient strictement militaire. Mais, son état général est mauvais et par prudence il faut réduire le trafic à trois trains ne dépassant pas les 8 km/heure de moyenne ! Inévitablement le lac Baïkal se transforme alors en goulot d'étranglement, car si l'été rend déjà la traversée problématique, c'est encore bien pire en hiver. Un homme, le prince Hilkoff, va avoir une idée de génie : il se dit que sur de la glace de 1,50 m d'épaisseur, il doit être possible de poser des rails. Le 3 mars 1904, 40 km de voie ferrée étaient en place. Bien sûr, il y eut de hauts cris, mais les ingénieurs avaient démontré que 36 cm de glace suffisaient à supporter un train sans danger, alors, 1,50 m...

Le ferry-boat et brise-glace "Baïkal".

IMAGINE P'TIT GARS, UNE TEMPÊTE... IMAGINE UN WAGON REMPLI DE SOLDATS, QUI ROULE EN BRISANT LA FINE COUCHE DE GLACE DU RAIL, TIRÉ PAR DES CHEVAUX AFFOLÉS, DONT LES SABOTS MARTÈLENT LES TRAVERSES GELÉES... ET TOUT AUTOUR, LA DALLE GLACÉE NE CESSE DE S'AGITER SUR LA MASSE LIQUIDE QUI LA SOUTIENT.

TOUT A' COUP, UN CRAQUEMENT SINISTRE! LA VÔUTE SE DÉCHIRE SUR PLUSIEURS KILOMÈTRES, LAISSANT UNE CREVASSE BÉANTE DANS LAQUELLE L'EAU FURIEUSE SE TRANSFORME EN GERBES DE CRISTAL.

CRRRRR

UNE CREVASSE, PETIT PÈRE !!

SOUS LE REGARD TERRORISÉ DES SOLDATS, LE WAGON GLISSE SUR LA VOIE, QUI SE BRISE JUSTE APRÈS SON PASSAGE ET S'AFFAISSE DANS L'ABÎME.

ENCORE UN EFFORT MES PETITS ! YAAP!

Voie posée sur le lac.

Contourner le lac demeurait malgré tout la meilleure solution. En moins de sept mois, les 250 km de voie ferrée du Circabaïkalien furent posés au prix de difficultés extrêmes. De hautes montagnes bordant le lac — dont certaines culminent à plus de 2 000 mètres —, il fallut creuser à la dynamite. En revanche, les berges du lac étant friables, d'énormes murs de soutènement durent donc y être construits. On lança des ponts, on perça des tunnels et durant les dix-huit mois que dura la guerre, un million d'hommes avec leur équipement et leurs munitions empruntèrent la ligne ; sans oublier ceux qui rentrè-

rent par les trains ambulances. Pour autant, le trafi[c] sur le lac n'avait pas cessé, mais c'était trop tard. L[a] guerre fut une défaite pour les Russes faute d[e] moyens suffisants pour acheminer leurs troupes — pourtant dix fois supérieures en nombre au[x] japonaises.

Après le conflit, le trafic-voyageurs fut rétabl[i]. E[n] 1906, la C.I.W.L. assurait de nouveau la circulatio[n] de trois « Express Internationaux », et les Russe[s] celle de six « Express d'État », soit au total, ne[uf] grands trains de luxe par mois.

Un train ambulance sur la voie de contournement du lac.

train. Parmi eux Vladimir s'est fait beaucoup d'amis, en particulier au wagon-restaurant, où tous se retrouvent pour boire de la bière. Tous les deux, le nez collé contre la vitre froide, nous sommes fascinés par ce paysage de glace.

De l'autre côté du fleuve, m'explique-t-il, c'est la Chine avec son milliard d'habitants. Combien y a-t-il eu et combien y aura-t-il encore d'incidents entre les deux armées qui se font face ? Personne ne le sait. Un fleuve, c'est peu, pour séparer des milliers d'hommes. Chaque nation revendique cette partie de Sibérie, et la région est sans cesse en ébullition. Les Chinois connaissent l'immense richesse du sol sibérien, et refusent de s'en tenir aux traités que leur ont fait signer les Russes. Les Cosaques, après les avoir vaincus, les avaient obligés à abandonner les bassins de l'Amour et de l'Oussouri, et à se retrancher derrière les frontières actuelles.

Les incidents diplomatiques ne datent donc pas d'aujourd'hui, continue Vladimir. Durant la construction du « Transmandchourien », de 1897 à 1903, une convention autorisa le tsar à faire venir 5 000 soldats en Mandchourie pour protéger les travaux et le personnel contre les bandits mandchous qui attaquaient les camps, les trains, et détroussaient les voyageurs. Tout le long de la voie ferrée, des poteaux entourés de paille enduite de bitume et de pétrole avaient été dressés. On y mettait le feu pour signaler la présence des bandits. La troupe, voyant la fumée de loin, pouvait arriver rapidement sur les lieux. Pour avoir une ligne qui soit dans sa totalité en territoire russe et pour plus de sécurité, le tsar Nicolas II décida donc la construction de l'Amourien. Les travaux dureront de 1914 à 1917.

Septième jour de voyage.

Le ciel est livide. Dehors tout est pétrifié. Mais quelle beauté ! Le train longe le fleuve Amour, frontière naturelle entre l'URSS et la Chine. « Frontière problèmes » me dit Vladimir, un soldat, qui doit avoir mon âge. Les soldats, dont la plupart sont des marins basés à Vladivostok, sont nombreux dans le

A' TRAVERS LA MANDCHOURIE, DANS UN DÉFILÉ...

PAW!

LA' HAUT ! DES MANDCHOUS !

QU'EST-CE QUI SE PASSE ??

J'AI CRU VOIR QUELQU'UN LA' HAUT !... LE COUP DE FEU VIENT DU TRAIN.

TOUT A' COUP...

CCCRIIII

LA VOIE EST BLOQUÉE !!!

VITE ! ALLUME LE POTEAU ! IL FAUT PRÉVENIR LA TROUPE

WWINIIFF

PENDANT QU'UN DES CONDUCTEURS ACTIONNE LE SIFFLET DE LA LOCOMOTIVE L'AUTRE A' L'ABRI DE CELLE-CI MET LE FEU AU COMBUSTIBLE DU POTEAU...

LE TRANS-MANDCHOURIEN EST ATTAQUÉ !

ORDRE DE MARCHE SUR LA FUMÉE !

EN AVANT !

Vladimir poursuit :

— Après la défaite russe contre le Japon, ce fut la révolution. La première, celle de 1905, vite étouffée par le gouvernement. En 1908, la C.I.W.L. se voit confier l'exploitation de tous les services des trains de luxe sur la ligne du Transsibérien. Puis arrive 1914, et la Première Guerre mondiale. En 1917, éclate la seconde révolution ; la guerre civile oppose l'armée révolutionnaire (la future armée Rouge) à l'armée Blanche du Tsar. Malgré une coalition étrangère débarquée à Vladivostok pour aider le Tsar en péril, il est chassé de son trône. Un révolutionnaire, nommé Lénine, qui était exilé en Sibérie comme beaucoup de membres de son futur gouvernement, prend le pouvoir : le règne des tsars est terminé. Mais tous ces événements mettent la Russie dans un chaos général, et notre Transsibérien change de style. Fini le luxe... Il n'y a plus de grands trains, et peu de trains ordinaires. Seuls sillonnent le pays, des convois bourrés de soldats, et des trains blindés puissamment armés. On assiste à de véritables batailles sur rails. Connais-tu l'épisode qui a mené des milliers de soldats tchèques sur la ligne du Transsibérien, de 1918 à 1920 ?

— Non, je n'en ai jamais entendu parler !

— Eh bien, après avoir déserté l'armée austro-hongroise, alliée de l'Allemagne, ils s'étaient portés volontaires pour combattre les Allemands aux côtés des Russes. Mais ceux-ci ayant signé la paix avec l'Allemagne en 1918, les Tchèques se retrouvent sans « emploi ». Chacun voudrait mettre de son côté cette petite armée bien équipée et entraînée. Les Tchèques, eux, n'ont qu'une envie : rentrer chez eux dans leur futur état indépendant. La révolution leur barre la route de l'ouest, ils fuient donc vers l'est. Avec le Transsibérien, ils décident de gagner Vladivostok, d'où ils embarqueront. Les années 1918 et 1919 se passent en d'incessants combats le long de la ligne. Les Tchèques avancent derrière leurs locomotives, protégeant leurs wagons avec des plaques blindées, augmentant sans cesse leur puissance de feu, et raflant tout sur leur passage : nourriture, armes, argent, et même un trésor tsariste ! Mais ils se heurtent un jour à une puissante unité de l'armée révolutionnaire. « Votre liberté contre le trésor et l'amiral Koltchak, chef de l'armée blanche, qui est avec vous ! » disent les Rouges. Marché conclu, voilà comment, en 1920, ils sont enfin rentrés chez eux !

Un train blindé.

1920... Plus rien ne bouge... Après la terrible tempête qui vient de secouer la Russie, c'est l'acalmie, continue Vladimir. Pourtant, un nouvel exode commence. Des émigrés, rescapés de l'armée Blanche, veulent fuir le nouveau régime ; ils s'installent dans les gares mais tout est bloqué. La vie s'organise alors dans les wagons à bestiaux qui ont remplacé les voitures de voyageurs d'antan.

Vers 1923, les compagnies privées sont supprimées. Le Transsibérien passe sous contrôle d'état. Deux nouvelles classes sont créées : la « douce » et la « dure » plus une « internationale », les voitures-lits. En 1930, les voyageurs étrangers peuvent reprendre le Transsibérien, ils sont pris en charge par l'« Intourist », organisation officielle, mise en place à Moscou en 1929. Le tronçon transmandchourien est abandonné : toute la ligne est désormais en territoire russe. Elle sera enfin entièrement doublée en 1939.

Deuxième Guerre mondiale, nouvel exode : le Transsibérien va mettre à l'abri des millions de Russes de l'autre côté de l'Oural, en Sibérie, et amener sur le front des milliers de combattants.

1956 : construction de la dernière machine à vapeur... Aujourd'hui, de gros engins diesel les remplacent et la voie est pratiquement électrifiée sur les 9 300 km de son parcours. Dans sa totalité le matériel est soviétique, mais quelques éléments restent encore d'origine étrangère : les wagons rouges sont fabriqués en Allemagne de l'Est, et certaines locomotives électriques viennent de France.

Connais-tu le B.A.M., Pierre ? Cela veut dire Baïkal-Amour-Magistral ; c'est le nom d'une nouvelle voie qui double le Transsibérien là-haut, plus au nord, et qui mettra en valeur 1 500 000 km² de Sibérie. Les tsars, qui voulaient mettre la communication ouest-pacifique hors d'atteinte de la Chine, ensaient déjà. Les troubles de l'histoire avaient ●mpêché sa construction, mais Brejnev fait mettre le ●rojet à exécution en 1974, ce qui demande plus de ●000 km de voies et 800 ouvrages d'art. Des techni-●ues modernes, comme la pose de voies préfabri-●uées par des machines, rendent cette construction ●lus sûre et surtout plus rapide. Cette ligne, unique-●ent ouverte aux trains de marchandises, s'achève, ●nt ans après, le début des travaux du Transsibé-●en. Aujourd'hui, sur « l'ancien » Transsibérien, ●ssent autant de trains en une journée qu'à ses ●buts en un an ; un train de marchandises toutes les ●ngt minutes ! C'est la colonne vertébrale de ●URSS. Et cependant son trafic même ne suffit ●us... Une interminable file de camions roule à ses ●tés, l'aidant à la tâche. Mais que de progrès ont été ●its : en 1902, on mettait dix-huit jours pour aller de

Moscou à Vladivostok ; 11 jours en 1908 ; neuf jours et demi en 1914, neuf jours en 1937, et aujourd'hui une semaine.

Huitième jour.

Nous venons d'arriver à Nakhodka, ville portuaire. C'est le terminus. Il est presque midi. Hier soir, Vladimir m'a laissé pour préparer ses affaires et dormir un peu. Il descend ici pour rejoindre Vladivostok ; cette ville m'est interdite, comme à tous les voyageurs : domaine strictement militaire ! Sur le quai, j'aperçois Vladimir et quelques soldats qui s'en vont. Je leur fais signe : « au revoir Vladimir, et merci ! » Il sourit, « au revoir Pierre, bonne chance et bon voyage ! ».

Déjà, on prépare le « Rossia » pour le retour... »

Vocabulaire

Ballast : matériau constitué de pierres concassées qu'on utilise pour soutenir et caler les traverses d'une voie ferrée.

Bortsch : sorte de pot-au-feu russe, fait avec du chou, de la betterave, de la tomate, de la queue de bœuf, et qui se mange avec de la crème aigre.

Chasse-pierre : appareil monté à l'avant d'une locomotive pour débarrasser les rails des pierres ou autres obstacles qui s'y trouvent.

C.I.W.L. : Compagnie internationale des wagons-lits.

Conducteur : nom donné au personnel assurant le service dans les wagons-lits.

Dais : ouvrage de bois surmontant une estrade, un trône, etc.

Diphtérie : maladie contagieuse grave, qui atteint les voies respiratoires supérieures et dont la toxine gagne tout l'organisme.

Escarbille : petit morceau de charbon ou de bois partiellement consumé, mêlé aux cendres ou s'échappant d'une cheminée.

Ethnique : qui est relatif à un groupement humain ayant en commun une culture, une langue, une tradition.

Etiage : niveau moyen le plus bas d'un cours d'eau.

Paludisme : maladie parasitaire transmise à l'homme par la piqûre d'un moustique, fréquente dans les régions des marais.

Samovar : sorte de bouilloire utilisée pour avoir de l'eau chaude. Une cheminée centrale, reposant sur une grille où l'on met des braises, traverse de haut en bas un récipient de cuivre et canalise la chaleur. L'eau ainsi chauffée est tirée à l'aide d'un robinet situé à la base du réservoir.

Steppe : formation végétale constituée de grandes herbes.

Taïga : formation végétale forestière faite de conifères, occupant l'hémisphère Nord, au sud de la toundra.

Tarentass : longue voiture dont les deux trains de roues sont très éloignés l'un de l'autre.

Tender : wagon auxiliaire d'une locomotive à vapeur qui transporte le combustible et l'eau nécessaire à la marche du train.

Toundra : formation végétale se situant autour du Pôle, succédant la taïga vers le nord. La toundra comporte des arbustes, des landes, des pelouses, des mousses. Elle forme en Sibérie une bande de 200 à 1 000 km.

Tract : longue voie postale traversant la Sibérie et qu'un relais jalonne toutes les trente *verstes* environ.

Verste : unité de longueur russe ; une verste = 1 06 mètres.

Vodka : eau-de-vie de grain, originaire de Russie ou de Pologne.

Yourte : tente ronde faite de peaux ou de morceaux de feutre, reposant sur une armature de bois.